わたしたちのリモートワーク日記

在宅勤務子ちゃん

一秒
Ichibyo

PHP研究所

はじめに

みなさん
こんにちは
一秒と申します
この度は書籍を
お手に取って頂き
ありがとうございます!!
一秒
この話を作った
きっかけは
自粛期間中…
ゴロ
ヒマやな
ゴロ
マンガ描こー
流行りもの描こー
という
思いつき
2020年4月
ですが毎日
描き続けていくうちに
うっう
外出たいよ
雑談したいよ〜
キャラの心境とも
シンクロしていき、
とても思い入れの
ある作品になりました
書籍化にあたり
SNSに載せていた50話+
描き下ろしも50P以上追加
超超!!
パワーアップ!!

キャラ紹介
マホ(26)
フリーランス。タク子の友人
メグネ黒髪は完全に好み
在《ざい》タク子(26)
お調子者のOL
アンドレ→
名前テキトーにつけすぎた
他にもいるよ!!
太郎くん(24)
SE。こだわり強し。
多分 友達になれない
久保さん(31)
総務。ほんわかのんびり。
いやされる
多田《おおた》マネージャー(45)
冷静な管理職
妻と子3人。
頼れる上司
ねーねー マンガ家も在宅勤務?
へー
マンガってこう描くのね
やいの
やいの
それでは楽しんで頂けたらウレシーです

目次

在宅勤務になるまでの生活

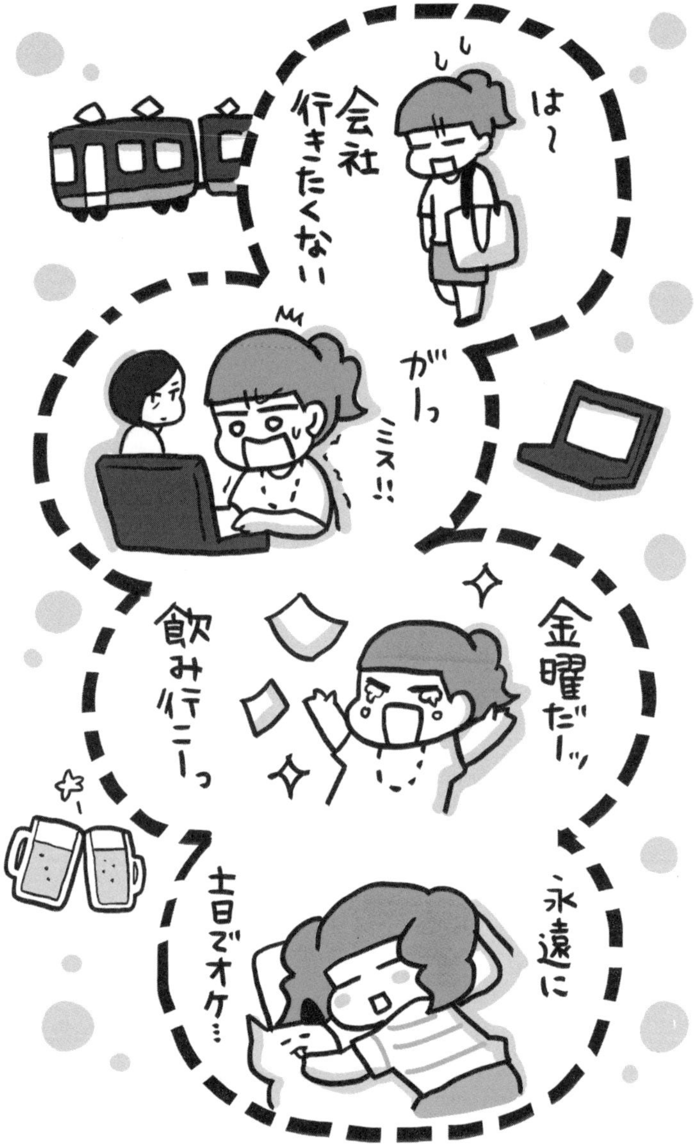
は〜
会社行きたくない
がーっ
ミス!!
金曜だーッ
飲み行こーっ
永遠に
土日でオケ…

1章

在宅勤務子ちゃん

在宅勤務サイコー！

在宅勤務1日目
ウチの会社もついに在宅勤務になったよー!!
やったあ
リラックスして
仕事できるしぃ〜
バリ
バリ
すぐ休憩できるしぃ
メイクやオシャレもしなくていい!!
在宅勤務サイコー!!
出社まであと24日

在宅勤務の才能

在宅勤務2日目
「おはようございま…す」っと
ふわー。。
カタカタ
カタカタ
AM9:00
朝の点呼
あぶない遅刻するとこだった
夜更かししちゃったもんなー
うわー死んだー
でも通勤ないと楽だ〜
シャコ
ボリ
ボリ
シャコ
ギリギリまで寝てられるし
ずーっとこの生活でいいや!!
ごろん
私在宅勤務の才能あるかも♥
なんちゃって
出社まであと23日

マホからの忠告

在宅勤務3日目
私って意外と在宅勤務向いてるって…
…甘いよ
まだ2、3日でしょ
フリーランスの友人・マホ↘
そんなんじゃ分かんないよ
在宅勤務の本当の辛さは
これからだよ
なんだよーマホのやつっ!
大丈夫だっつーの!
出社まであと22日

ひとりごと

在宅勤務4日目
ふわ～今日何曜だっけ？
…あ木曜か あとでドラマ見ーよ 私は録画派なんです よっと！
カタ
カタ
はっ 何この資料 マジマジ意味が プップクプーなんで
もー山口さんちょっとは 人のコト考えろよ～ そーいうトコ!! 奥さんにも 叱られてるじゃん ってコレ本人に言ったら キレられるヤツ～!!
あーはっは
あー何か お酒飲みたく なってきちゃった～ ってまだ昼ー！ そこまでいったら ダメだろ自分～!!
…ねえ
私 ひとり言多い？
出社まで あと21日

オンライン飲み

在宅勤務5日目
今週
全然仕事した気がしな〜い
メリハリなくて〜
金曜なのにワクワクしないし
いつもだったら飲みに行けるのに〜
2軒目行くぞ〜
や
ピロン
…
さおりん
タク子さーん
オンライン飲みしませんか!?
URL送りまーすっ
何っ
や
これはこれでアリ!!
出社まであと20日

緊急事態も日常

在宅勤務6日目
マスク着用で
シャコシャコ
営業時間短縮します
9:00～18:00
・小人数で
・分散して
ご協力お願いいたします
スーパー山田
アルコー
次のお客様どうぞー
マスク在庫ありません
あハイ
袋ご入用ですか？
テイクアウト始めました
「緊急事態」も
「日常」になってくんだなあ
出社まであと19日

親との電話

在宅勤務7日目
だーから!! 帰れないんだって 感染リスクが…
飛行機!?
もっとダメだよ てかさ一応私 仕事だから 在宅って休みじゃ ないかんね!?
ゴールデンウィークも 旅行とか 行かないでよ?
あとお父さん! タバコ止めさせ…え いやマスクはあるから
あ〜もうっ
ぼすっ!
話が 通じないんだよなー!!
つかれた…
10万で 何買お…
給付金…
出社まで あと18日

対面でないと感情がわからない

在宅勤務8日目
to 石坂さん
おはようございます！
月次データ送ります！
カタ
カタ
ピロン
to 在さん
了解です
遅れてしまって
スミマセーン！（汗）
カタ
カタ
ピロン
大丈夫です
…何か怒ってる？
私変なコトした？
テキストじゃ
ニュアンスが
分からてん！
対面なら
リカバリー
できるのにいっ
スミマセーン
いいわよ
電話するか…
いや気にしすぎ？
モヤ モヤ
くそ〜
こんなコトで
集中力が〜っ!!
出社まで
あと17日

猫と密

在宅勤務9日目
あ〜…
ポチ
ポチ
やる気でなーい
も〜
スリスリ
スリ
スリ
スリスリスリ
密密密密密密みっつ〜!!
バシッ!!
ぴょーん
出社まであと16日
Social《ソーシャル》 Distance《ディスタンス》…
ぐすっ
じんじん
2m

久々のおしゃれ

在宅勤務10日目
ビデオ会議めんど〜い
ぬり ぬり
在宅なのにお着替えするなんて〜
…って久しぶりだから
めちゃくちゃ気合い入っちゃったんですケド〜!?!
テンション上がる〜!!
やば〜外出たいっ
いやいや
おつかれさまでーす♡
でも出たーい!!
ぎゅ…牛乳切れてたんだ!
コレは必要緊急の買い物!!
出社まであと15日

雑談したい

在宅勤務11日目
それじゃその方向で…
りょ
了解です…
あのっ…!!
…はい?
…あいえ
大丈夫です
失礼しま…す
ピッ
…はあ
言える訳ない
ただの
仕事相手に…
「雑談しませんか?」
なんて…
お昼何食べた?とか
ドラマ何見てる?とか
そういうどーでもいい
話がしたいんじゃ…!!
出社まで
あと14日

不要不急の仕事

在宅勤務12日目
プロジェクト流れそうだな〜
仕事減りそ…
私の仕事って
ハハハ
不要不急だったんだな〜
出社まであと13日
にゃーん

テイクアウトパーティー

在宅勤務13日目
今日は奮発ー!!
有名店のテイクアウトパーティーだぜぃっ
もそ
もそ
…なぜだ
美味しいけど美味しくない…
店の雰囲気とか接客とか盛り付けがないと…こんなもんなのか…
せめて外見て夜景レストラン気分に…
くそ…隣の寺しか見えねえ…
ゴーン
出社まであと12日

結局は密

在宅勤務14日目
人いなーい!!
ゴーストタウンみたい
がらーん
休業
5/6まで休み
と思ったらこっちか!
ワイワイ
ら公園
公園がこんなに混むなんて…
いつもガラガラなのに
ワー
きゃー
どこかを閉めるとどこかがあふれる…
人の流れを変えるってムズかしーんだな
公園利用1時間以内
出社まであと11日

それぞれの在宅勤務

在宅勤務15日目
みゆきち
夫も私も 在宅だけど 部屋せまいし ずっと一緒だから ピリピリしてる…辛
フム…
うおっ
姉ちゃん
タク子はいいじゃん 私は今日も 出社だよ!?
独り身で 在宅の私は…
カタ
恵まれてる 方なのかも
カタ
…でも
カタ
カタ
私だって…
あ〜
人に会いたい 誰かと話したいっ
出社まで あと10日

在宅勤務と酒

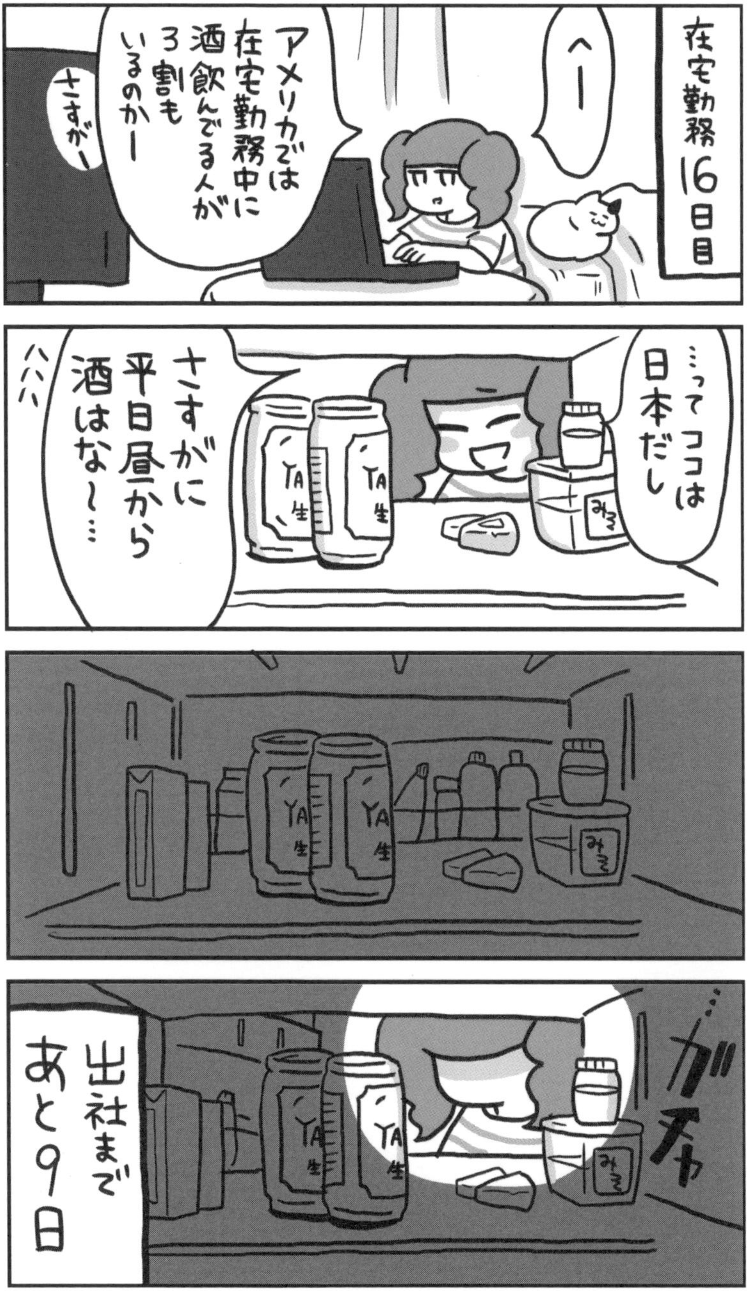
在宅勤務16日目
へー
アメリカでは在宅勤務中に酒飲んでる人が3割もいるのかー
さすがー
…ってココは日本だし
さすがに平日昼から酒はな〜…
ハハハ
ガチャ
…
出社まであと9日

年末に似ている

在宅勤務17日目
Tレは再放送や総集編ばっか
もぐ
もぐ
休業
休み
お店は休みで人もまばら
仕事もグズグズやる気でない
モグ
ムシャ
この感覚なーんかに似てるんだよな…
あ
年末だ
太るし…
ぐでへ…
もーいーくつ寝ーるとー
自粛あけーー…
出社まであと8日

緊急事態宣言の延長

在宅勤務18日目
ぼーーっ
緊急事態宣言の延長が…
そりゃ延長すると思ってたし仕方ないんだけど…どっかで
もうすぐ…もうすぐで
「フツーの日」に戻れるって…
ごろ〜ん
思ってたんだな私…
忘年会のビンゴで当たったウイスキー
あけたるっ
ロックで…!!
カラ
どん
出社まであと~~7~~日

スーパーのおばちゃん

在宅勤務19日目
ズーン
おばちゃん疲れてるな…
いつもは
野菜食べな〜
あ…あの
ピッ
…
にこっ
私のバカ
何もできないのに
気まで使わせちゃった…
出社まであと？日

恋したい

在宅勤務20日目
ヒマだな〜
旅行も買い物も行けないし…
恋したーい ドキドキしたーい…
はー…
好きな人と手つないで…って
そもそも
ガーン
終息するまで恋愛できなくない!?
カンパーイ
出会い
デート
んー♡
濃厚接触
密です
うわ〜ん そんなトコまで影響でるなんて
えぐ
えぐ
コロナのバカやろ〜
出社まであと?日

結局BTTFに落ちつく

在宅勤務21日目
サブスクで映画見ーよっと
ピッ
新作いっぱい出てんじゃん
ピッ
ピッ
ピッ
どれも面白そうだけど
衝撃のスリラー!
全米No1
ありすぎて選べない…
紹介文でお腹いっぱい…
2人の行く末は…?
感動大作
結局コレに落ちついちゃうんだよな
「バックトゥザフューチャー」
ドゥーン!
安心感…
プシュ
出社まであと?日

久々の出社への想い

在宅勤務22日目
会社からメールだ
6/1が出社日か
緊急事態宣言明けね
久々だな～
ワク ワク
出社を楽しみにするなんて
…っていやいや
どーせすぐ嫌になるだろうよ…
会社ヤダー
行きたくなーい!!
バタ バタ
何だかんだメリットあるもんねリモートワーク
クンカ クンカ
もう週5で会社に行く体には戻れないかも…
出社まであと28日

マホからの忠告その2

在宅勤務23日目
どう？調子は
えっ…別に〜？
本当はちょいキツイけど
私在宅向いてる〜
って言った手前…
3日目
ずっと在宅でもいいくらいなーんちゃって…
ハハ…
甘いよ
リモートの仕事はクオリティさえあれば誰がやったっていいんだから
世界中…もしかしたらAIがライバルなんだよ？
？
どーゆー意味？
世界？AI？
…
出社まであと27日

フードロス

在宅勤務24日目
フードロスか
なんか買って応援したいなー
フードロス応援セール
北海道産ほたて
30枚 特価
送料1,500円
（別途クール便代）
ひ…独り身にこの量はキツい！
あと地味に送料がキツいっ
苦渋…!
どうしてこういうのファミリー向けばっかなんだ…!?
スーパーってすごい
送料かかんないし
小分けで買える
せめてコレを買おう
海産物コーナー
北海道産ほたて
2枚498円
出社まであと26日

家族持ちは大変

在宅勤務25日目
会議だけど…
バン!!
パパーーッ!
皆のアイデアまとめといてくれる?
ピコ ピコ
びよーん
その方が早く済むと思うし
新年度の予算も
びよーん
だーー
組みかえないとだしすり合わせ…
大変ですね…
んっ?
もう慣れたよ
全てを受け入れるんだ
出社まであと25日

ばれた？

在宅勤務26日目
やべっ 寝てた…
ひ〜〜〜っ 石坂さんから 鬼電が…
石坂さん きびしめ
スミマセーン ちょっと業務が たてこんでて…
ドキドキ
…在さん 声かすれてる けど
もしかして 寝てた…？
出社まで あと24日

電話できる友達

在宅勤務27日目
誰かと話したい…
雑談したい
マホは…また何か言われたらヤダしなー
甘いよ
みゆきちは新婚さんだし
さおりんは2人きりで話したコトない
ケータ…遊びのときしか話さないもんな
おがやんは電話好きじゃないし…
モソ
モソ
モソ
こんなにアドレスに入ってるのに
気軽に電話できる友達すらいない…
ゴッ
は？
大人ってそんなもんでしょ
何を今更
出社まであと23日

会社の有難み

在宅勤務28日目
ヒ〜 電気代ヤバッ
ずっと家だからっ
もしこのまま在宅が続いたら
夏死ぬ
エアコン代で…
会社ってスゴいんだな…
いまさら君の有難みを知ったよ
電気も
備品も
机・イスも
ぜーんぶ好きに使って!!
○○会社
会社くん
やっぱ仕事は会社でやるもんなのかねえ
在宅は楽だけどホラだれちゃうしい
仕事できないのもしゃーないってゆーかー
ペロ
ペロ
…
出社まであと22日

閉店するお店

在宅勤務29日目
えっ!!
お店閉めちゃうんですか!?
ハハ…
今月いっぱいで
テイクアウト
イタリアンバル
助成金でつないでこうかとも思ったけど…
しばらく飲食自体が厳しそうだしね
私！残ってるの全部買います
いいよムリしなくて…でもありがとう
ぼーっとしてる間に
どんどん周りが変わってく…
プシュッ
出社まであと21日

マホのなぐさめ

在宅勤務30日目
店閉めるんです
ハハハ
ってなことがあってさー
私在宅だーっ なんて浮かれてたけど
ぜーんぜん世の中分かってなかった
分かった所で結局何もできないんだけどね
ハハハ
…誰にだってどうにもできないコトはある
でもタク子が気を配ったことで
少しはその人の慰めになったかもしれない
…!!
何泣いてんの？
ひっく
だって
マホが…いきなり優しいコト言うから
ひっく
ふえ〜ん
出社まであと20日

在宅勤務の生産性

在宅勤務31日目
テレワークの今
ハハハ
社長に聞く
ウチは15分ごとに在席チェックしてますよ
ウソでしょ…
そんな監視みたいなコトされたら逆に生産性下がっちゃうよ…
知的労働は時間じゃなくて成果物で判断してよね
ダーラ ダーラ
休憩もリッパな仕事なんだから~
とっぷり…
シクシクシク
カタカタ
グス
終わんないよお…
出社まであと19日

ランチと気分転換

在宅勤務32日目
カップ麺飽きたな〜
ズルッ
でも昼ーは作りたくないし
ランチで外出るのもな〜
あ〜社食が恋しい!!
ハイ!さわらのあんかけ定食!!
野菜たっぷり
旨い
日替わり
人との触れあい
それにランチって気分転換の時間でもあったんだよね…
散歩
♪
おしゃべり
マジ〜
今の気分転換は日光浴くらい…
シャッ
ウフフ…
早く気軽に外出したーい…
出社まであと18日

昼間のテレビ番組

在宅勤務33日目
ちょっと休憩
散歩番組でも見るか
ピ
今日は上北沢〜
くーっ
もう再放送ドラマの時間かぁ
んーっ
右京さん!
5時〜ワイドショー見るか…
ピ
第5位はこの記事!!
私もだいぶ平日昼のテレビに慣れたな…
初期…
朝ドラがリアタイでっ
刑事ドラマ見ながらお昼食べれるっ
感動!!
出社まであと17日

親からの電話

在宅勤務34日目
えーー
ワー
!!!!
ギャー
お母さ
またお父さんとケンカ?
在宅勤務になってるのに食器も片付けないしお昼だって作らないといけないしも～息がつまっちゃうわよお友達とお茶も行けないしお母さんの時間がなくなイヤになっちゃう
と思えばゴ
グダグダグダグダ
お父さんがこんなに家にいるコトなかったもんな
仕事人間の父
定年になったら毎日その生活になるんだけど
分かってんのかな
えっ代わんの?
もしもし…
…うん…うん元気だよ
お父さんは?……うん
夏には帰るからさ
…多分
出社まであと16日

ソーシャルディスタンス

在宅勤務35日目
あっ
ヒュー
あー
予備ないよ…
ドロッ
どっかで買うかあ
ケホッ
出社まであと15日
ザッ！

一日の歩数

在宅勤務36日目
今日の歩数
30歩
ひぃ〜〜っ
ひくわこの数字…
TV
収納
机
ベランダ
玄
ベッド
洗
冷
棚
行動範囲のトライアングル
このままいったら…
カタ
カタ
カタ
ヤバい
いっちに!
いっちに!
どしんっ
どしん
こっ…
ゼェ
ゼェ
ハァ
こんな体力で都会の通勤に耐えられるか!?
出社まであと14日

油断

在宅勤務37日目
5分休憩にしまーす
はーい
マイクオフしとくか…
バリバリ
バリ
バリ
ゲェ〜ップ
ぷっ
ピロン♪
ミュートになってませんよ
石坂
出社まであと13日

ゆるみきってる

在宅勤務38日目
ついに出社命令キター (>o<)
来週から出社…さらば在宅勤務
へー
出社する人増えてきてるぽいなー
てか私…マジで会社行けるのか?
このゆるみきった体と精神で…
満員電車のったり…
ぎゅう
ぎゅう
残業したり…
ひーん
おべっか使ったり…
君アルマジロに似てるなーっ
またまた〜
嫌だ〜っ!!
がばっ
何か急に嫌になってきた出社!!
出社まであと12日

育てたトマト

在宅勤務39日目
おおっ
トマトなってる
ペットボトルで水耕栽培 500円（コンビニ購入）
じーん…
どんな時でも生命は成長するんだな…
なのに最近の私は…
ダラダラ
グチグチ
私にはお前を食べる資格がない!!
お
フツーに旨いやん
もぐ
もぐ
出社まであと11日

突然の会議招集

在宅勤務40日目
今から
ビデオ会議
いいですか 石坂
え
困る!!
すっぴん&部屋着!!
ひ〜 マジでかかってきた!
待ってて
アセ
アセ
トゥルトゥル♪
トゥルトゥル♪
ハァハァハァハァ
お…待たせしました
ハァ
…在さん
家でもマスク
してるの?
かっ…
感染対策です!!
意識高いのね
スカート→
出社まで
あと10日

今の私に必要なもの

在宅勤務41日目
ジュ〜
突然全てがイヤになった
うっうっう…
外出自粛
仕事のイラだち
今後の不安
…なので
一番でかい肉買った
コク…
ホントに…いくのかい？
一日じゃ食べきれないし
すごいムダ使い
…だけど
今は…コレが必要！
悦ミ!!
出社まで
あと9日

飽きてきたエンタメ

在宅勤務42日目
なーんか映画もマンガもゲームも読書も…
飽きたな…
見ること自体
前は…
1ケ月位映画だけ見てひきこもりた〜い
疲れた〜
とか思ってたけど
会社やお外で辛いことがあるからこそ
ズーン
叱られた…
癒し…
マンガ
エンタメに感動するのかも私の場合…
ピッ
だからって「会社《アイツ》」のこと好きになった訳じゃないんだから…
勘違いしないでよねっ
出社まであと8日

隣人

在宅勤務43日目
お世話になります ハイ！その件で…
カタカタ
隣の人か
在宅勤務中…もしくはフリーランスなのかな？
たしかこんな人
どーもー
ODEN
ハイ！分かりました その方向で進めます それでは失礼します…
カタカタカタカタ♪
近くに仕事がんばってる人がいると
やる気でるな♪
チッ
あのクソ野郎…
ざけんなよ ブツブツブツブツ
カタ…
出社まであと7日

今を楽しむ

在宅勤務44日目
緊急事態宣言が
解除されたーー!!
でも街は変わんないな
まだ終息したワケじゃないもんね
休
前みたいな生活…
本当に戻ってくるのかな…
やめやめ!先のコト考え過ぎやーーめっ!
久々のフラペチーノ旨〜♡
これぞ日常の味!!
出社まであと6日

出社が怖い

在宅勤務45日目
カタカタ
在宅勤務も あと少しかあ
この2ケ月位は
子供が いるとねー
家だと 集中 できないわ
「仕事できなくても 仕方ないよね」の 空気もあったけど
出社したらまた 「100%の力で 仕事するコト」が 当然とされて
お待ちをーし
カタカタカタカタ カタカタカタカタ カタ
バリ
アレとアレとアレ 今日中にね
バリッ
否応なしに 「能力を評価される」と 思うて…
在さん いつまで 「若手」で いるつもり？
会社イヤだ〜っ!!
出社まで あと5日

マホとのケンカ

在宅勤務46日目
うらやましいな～
マホはフリーだから
これからも
在宅で仕事
できるね
…「うらやましい」？
私含め
フリーや非正規の
人の大半は
不安しかないよ
恵まれてる
「正社員」の立場から
そんなこと
言わないで
な、なに
…タク子は
たまにすごく
無神経だよ
…マホだって！
マホだって
いつも
正論ばっかじゃん
私の気持ちっ…
分かんないクセに
ぽろ ぽろ
なんで…
なんで私達
ケンカしてるの？
出社まで
あと4日

複数の居場所

在宅勤務47日目
はー…
昨日のケンカが頭から離れない
無神経だよ
私
いつも考えなしでしゃべってて誰かを傷つけてんのかなあ…
家に一人だと気が滅入る〜っ
会社だったら気が紛れるのに…
あ〜忙しっ
居場所ってたくさんあった方がいいんだな
はー…
出社まであと3日

突然変わる日常

在宅勤務48日目
去年の今頃はみんなでバーベキューとかしてたのになあ
日常は
バーベキュー場 利用中止
ある日突然変わるって
緊急事態宣言
自粛要請
休業
50枚 5,000円(税抜)
マスク高騰
嫌というほど思い知った
マホに謝ろう
これからだっていつ何が起こるか分かんないもん
でも何て言ったらいいんだーっ
大人のケンカ難しい〜
出社まであと2日

出社前準備

在宅勤務49日目
あー 手帳買ってないんだった…
入館カードがない〜
いつも何時に家出るんだっけ
えーと アラームは6時半…!?
すっかりポンコツだよ…
明日からやってけんのかな…
ニャー
アンドレ〜!!
ひしっ
何よりお前との時間が減るのが辛い〜〜〜!!
出社まであと1日

久しぶりの出社

ピピピピ
AM 6:30 6月1日
ピッ
ピピピピ
AM 6:30 6月1
今日は
パリッ
50日ぶりの出社だ
パシャ
まゆ毛そらなきゃ…
この数ケ月が
なかったかのように
ガタン ゴトン
「日常」が戻っていく
ドキドキ…

そーっ
あ在さん
おはよ
石坂さん
おはようございますっ
少しやせた？
イヤっ逆に太りました
やっぱり直接人と会うと
怒ってなくて良かった〜
ホッ
おはよー
おはようございます
元気になるなぁ
システム直ったよ〜ありがとね
よかったです

取引先のA社…つぶれるらしいよ
ヒソ
ヒソヒソ
マジで?、うちもやばいのかなあ
4時からオンライン会議入れて
だけどやっぱり
変化は現れてる…
発注2ケ月待ちですか…
ハイ
今日はもうあがろ…
これから…
どうなってくのかなあ…

…マホ!?
あっ…あー近くまで来たから…
えーっすご偶然…
…
…
この間はゴメン…

仕事が連続キャンセルでイライラしてて…
いや それは言い訳だね
私
タク子の明るさに助けられてきたのに
ヒドい事言ってしまった
…本当に
ゴメ…
ねえ
マスクとって
はっ？
一瞬だから
なんでよ…

ぎゅ…
私こそ
ゴメンね
マホの気持ち全然分かってなかった
どんなに生活が変わっても
泣いたり笑ったり
怒ったり傷ついたり
ケンカしたり

ちゃんと…顔見て言いたかった
エヘヘ…
仲直りしたり
…
…うん
私に出来るのはただひとつ
今を
さーっ飲み行こ！
あのね…まだ終息した訳じゃないんだから…ちょっとだけだよ
しぶとく
生きる事
マホちん話分かるぅ
経済も回さんとねー

体重計は
途中から見るのを止めた

それぞれの在宅勤務

2章

フリーランスの悩み マホちゃん

ちょっと悔しかった

フリーランスになって早3年
はい
修正ですね
カチカチ
最初は昼夜逆転したり
しまった寝ちゃった…
ずーん
「家で仕事する」感覚がつかめなかった
だから…
私在宅勤務向いてるかも〜
タク子が意外と余裕で
本当の辛さはこれからだよ
くわっ
えっ
ちょっと悔しかった

会社に行ける能力

他人と長時間
同じ空間にいるのが
苦手で
はあ
はあ
新卒で入った会社を
3ケ月で辞めた
独学でウェブデザインを
必死に勉強
えー動かない…
カタカタ
PHP
フリーランスじゃないと
私は生きていけない
マホはすごいね〜
フリーで技術あって
牛ス
たこわさ…
串カツ…
酢のもの…
…
私からしたら
「会社に行ける」
能力のある
タク子の方が
すごいんだけどな

メンタルケアが大事

うちも在宅勤務がはじまったんスよ～
そうなんですか…
ん～っ
取引先も在宅が増えてきたな
この先どうなんのかな
このまま不況に…
カチ
カチ
あヤバイ
メンタル落ちそう
考えなーい
自分にどうしようもできないコトは考えなーい
スーハー
ふ、
フッ
フリーにとっちゃあメンタルケアが何より大事!

タク子からの写真

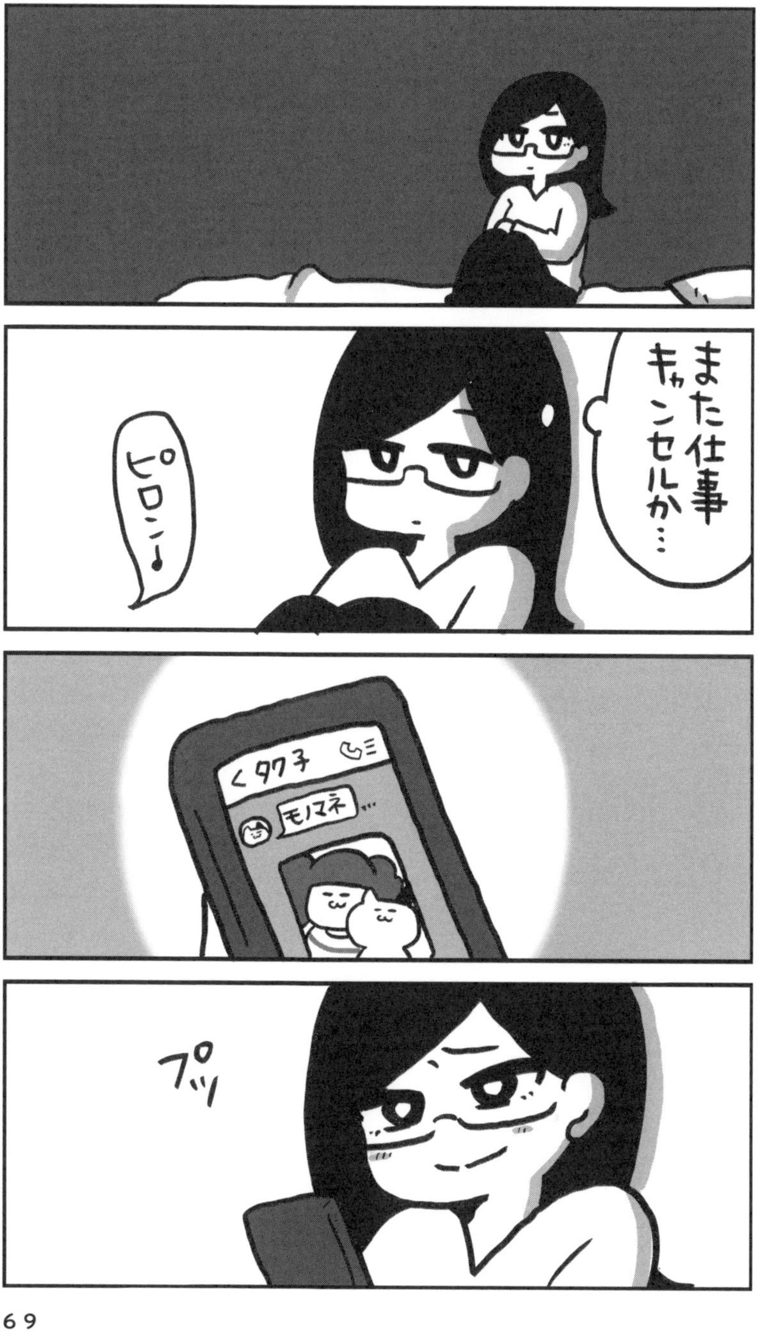

また仕事キャンセルか…
ピロン♪
タク子
モノマネ…
プッ

正社員とフリーの壁

ずっと在宅でもいいくらいだよ〜
…
タク子の余裕っぷりを見てると
フリーランス
税金
不安定
正社員
安定
福利厚生
有休
厚生年金
正社員とフリーの壁を感じる…
でも正社員だってこれからは…
世界中やAIがライバルにうんたらかんたら〜
？
どーゆー意味？
…
やはり壁は厚い…

フリーの孤独感

はい…分かりました
仕方ない…ですね
悔しい
力入れてた企画が…
コロナのばか
普通に会社勤めできてたら
なぐさめあえる同僚もいたかもしれないのに
私は
一人…

こんなこと言いたいんじゃない

「うらやましい」っ?
恵まれてる「正社員」の立場から
そんなこと言わないで
タク子はたまにすごく無神経だよ
なっなに
こんなこと言いたいんじゃ
!!
ないのにー

はあ・・・

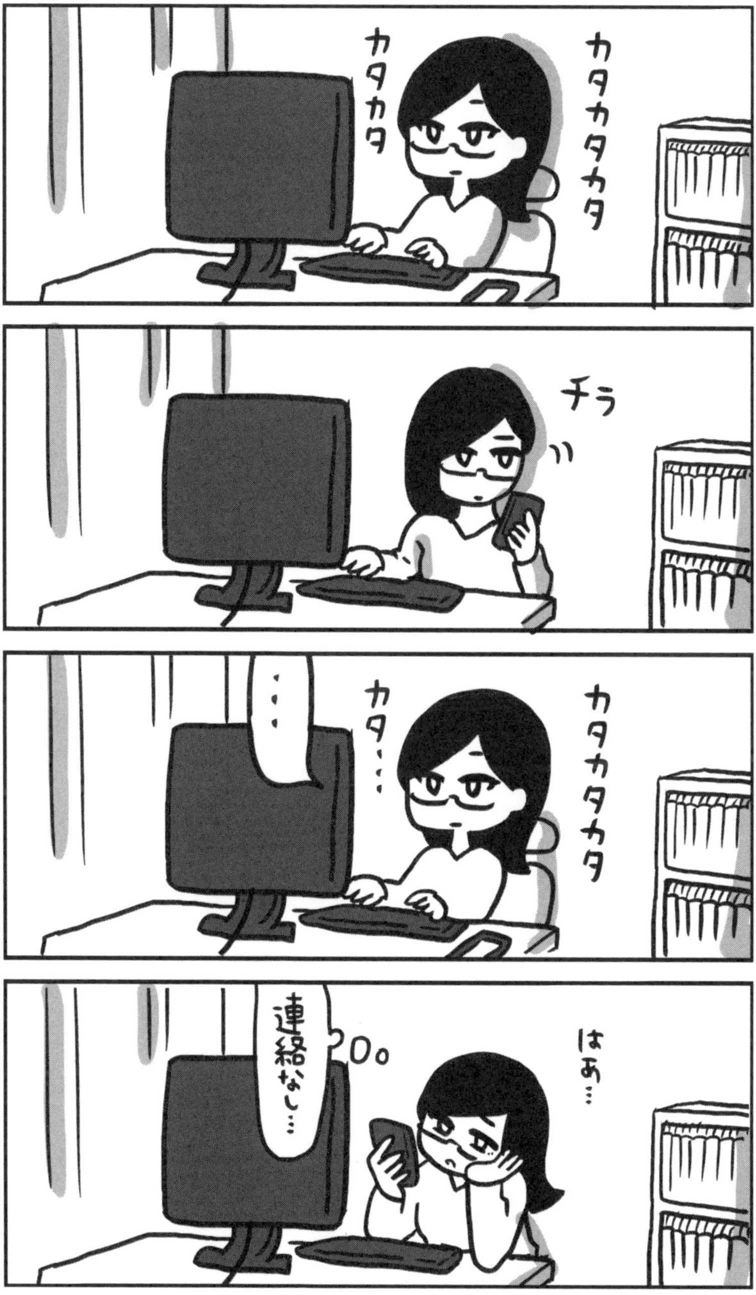

カタカタカタカタ
カタカタ
チラ
カタカタカタカタ
カタ…
…
はあ…
連絡なし…

タク子への想い

タク子から連絡ないと静かだな…
カタカタ
めっちゃはかどる
これまで何でも一人でやってきた
だけど…
も〜マホは真面目だなあ
ほれ大丈夫大丈夫

やっぱり会いたい

何から話そう
会うの久しぶりだもんな
そもそも会いにくる必要なかったのかな…
だけどー
マホ!?
何で!?

独りじゃない

この間はゴメン
…私こそゴメンね
ちゃんと…顔見て言いたかった
エヘヘ
…!!
私は
一人だけど
…うん
独りじゃない

これが私の仕事道

ほんで仕事大丈夫なん？
2m
まーねでも何とかするよ
何だかんだ
今の仕事好きだし
誰にも頼れないけど
できた…
だからこそ
見えるモノもあるから
さー帰ってもうひと仕事!!
んーっ
えっ
まだ仕事すんの!!
さすがフリーランス…

（おまけ）テレ・ワーク

「テレワーク」って
言葉さあ
ちょっと古くないっ？
今はネットが
主流なんだし
そりゃ
電話することも
たまにあるケド〜
「テレワーク」は
「テレフォン・ワーク」
の略じゃないよ
「テレ」は
「離れた所」という
意味
ズバッ
「テレフォン」の「テレ」も
同じ語源
まじで!?
こういうのかとっ
テレ・ワーク
（イメージ）
もしもし
プルルルルル
お電話
代わりました〜
気持ちは
分かるが…

それぞれの在宅勤務

3章

家族持ちは辛いよ多田マネージャー

パパは人気者

人生で初めての在宅勤務
カタカタ カタカタ
まー会社でやるのと変わんないだろ
パパあーそぼ
パパはねお仕事なんだ
だから後で遊ぼうね
ハーイ
5分後
お仕事終わった？
海行きたーい
まだ…
10分後
お仕事終わった？
山行きたーい
…

家が密！

幼稚園も休みになって
ワーッ
うわっ
ドタ
バタ
人口密度が高い…
妻《かえで》も機嫌悪いな…
コラッ
もういいっ僕あっちの部屋いくもんね！
ママだって2階行くもんねーっ
ふーんだっ
戸建てを買っといて良かった…
それぞれのスペースがある…

イライラ爆発

キャハハ
ワーイ
カタカタカ…
ねえパパ仕事なんだけどっ
ビクッ
…あ
しまった…余計大きくなるやつだ
ギャーース
ゴメンゴメン
何どなってんの
大きな声だしたって意味ないでしょ

マインドフルネス

自分は冷静な方だと思ってたけど
先方からお叱りが〜
OK
OK
本部長が呼んでます〜
それは「会社」という環境だったからだ
それがこんなにゆらぐとは…
オレもまだまだだな
ギャーッ
キャハハ
ドタバタ
マインドフルネス中…
意識を変えよう
昼は仕事できないから
夜集中してやる
適応するんだ
睡眠の質を上げるマットレス買うか
楓と交代で息抜きの時間も作って…
ワーッ
大丈夫きっとできる

今日はパパの日

今日はオレが見てるから散歩でもしてきたら
パパー
えっでも…
一日位大丈夫だよ
コラーッまだごはん終わってない
走るな危ないっ
ただいま〜
おみやげだよー
お…
ぐったり
お帰り…
よーやく寝た…
…おつかれ様
ハフハフ
こちらこそいつもあんな怪獣相手にしててすごいよ…

生活って大変だ

バタバタ
はーい
ピンポーン
バタバタ
家事って結構色々仕事があるんだな
はあ?
今頃気付いたの
他にも今日はタオル交換・食材注文ベランダの片付け町内会の広報連絡庭の水まきお義母さ
それプラス日々のルーチン家事
スマン
オレもやります
生活って大変だ
忘れてた…

「ザイタク」楽しいな

「ザイタク」ずっと続くといいなー!!
なんで?
結構大変よ?
だってパパが家にいるもん
ねーー
・・・
今までは
平日ほとんど会えなかったもんな
パパも楽しいよ
ハイねるよ~
ねむくなーいっ
ゴロゴロ

夫婦の時間

仕事大丈夫なの
あっあ
うん 夜やるから
とはいえ夜は頭が働かない…
ふわ〜
フー
あれ 仕事は?
今日はもうやめた
そんじゃさ ワインあけない!?
子供たちも寝たし
私達…ケッコーがんばってるよね
カチン
…だな

生活と仕事

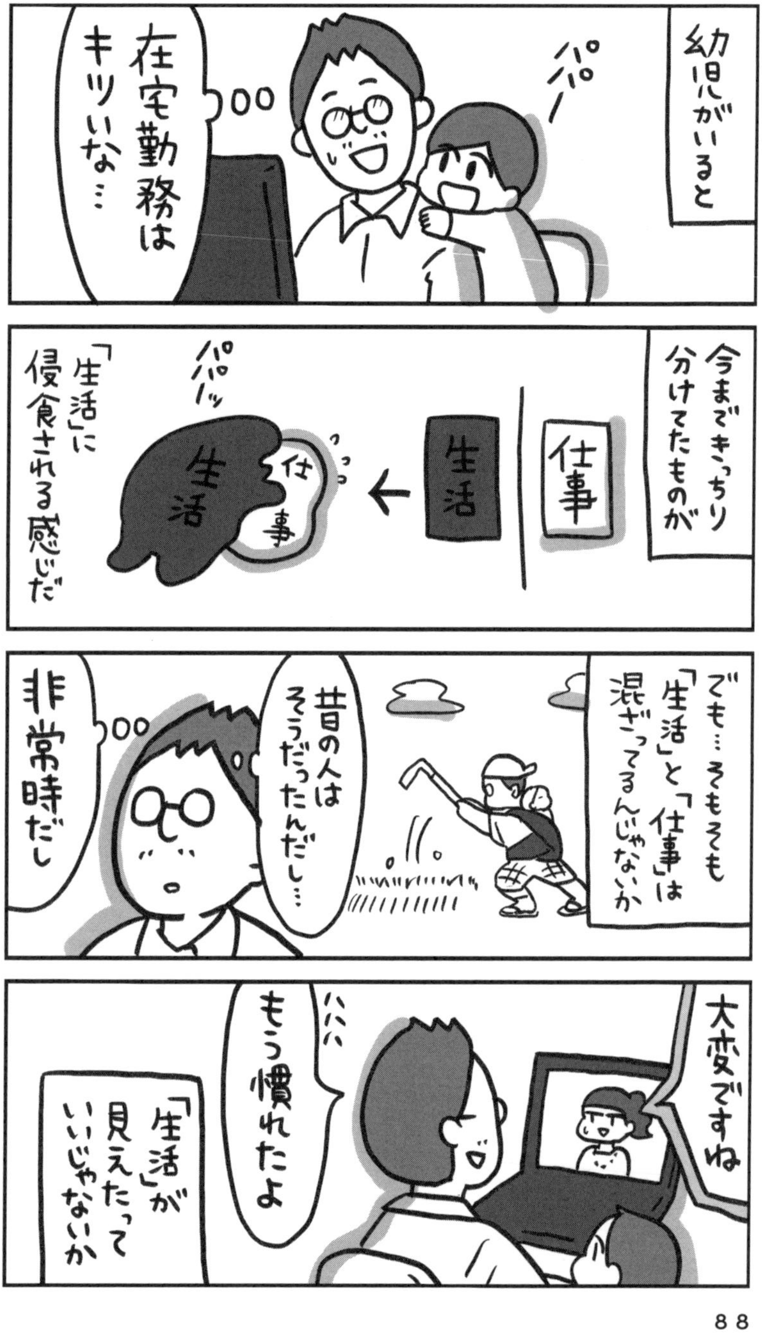
幼児がいると
パパー
在宅勤務はキツいな…
今まできっちり分けてたものが
仕事
生活
パパーッ
生活
仕事
「生活」に侵食される感じだ
でも…そもそも「生活」と「仕事」は混ざってるんじゃないか
昔の人はそうだったんだし…
非常時だし
大変ですね
ハハハ
もう慣れたよ
「生活」が見えたっていいじゃないか

家族の絆

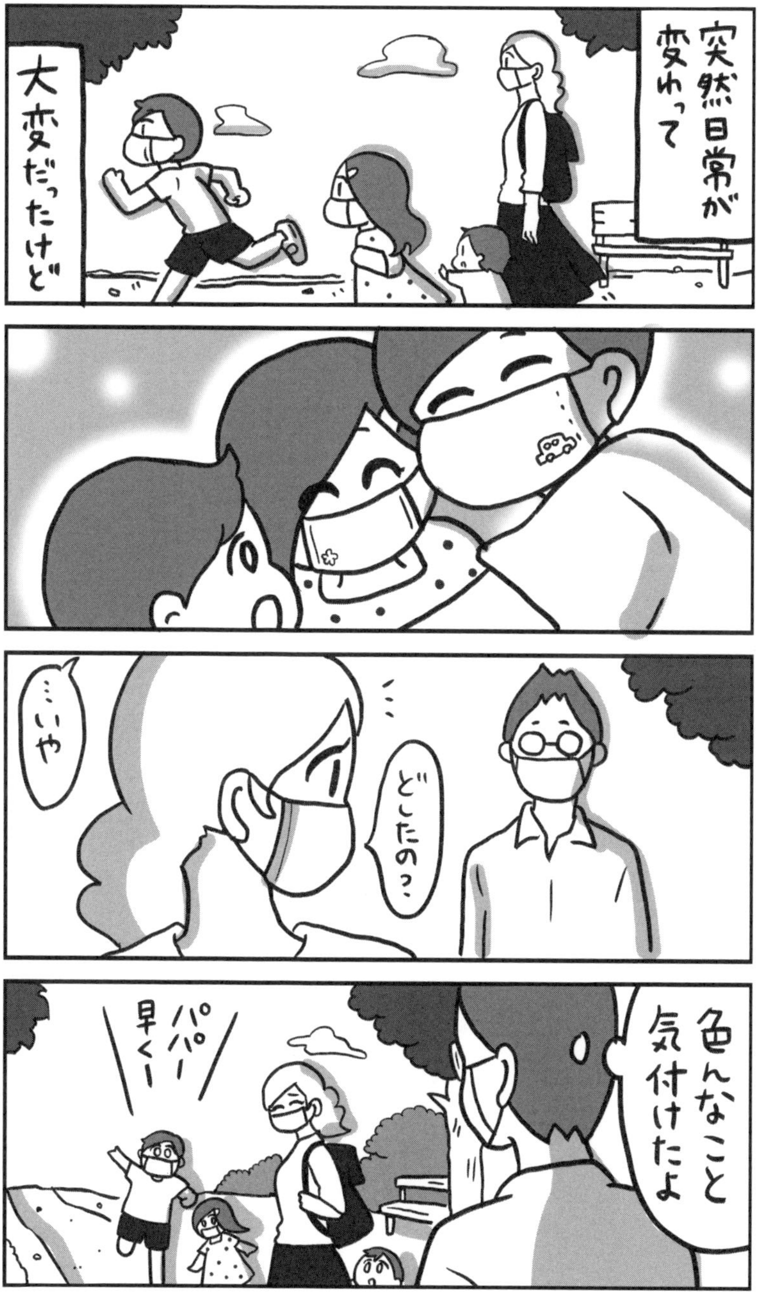

突然日常が変わって
大変だったけど
…
どしたの？
…いや
色んなこと気付けたよ
パパー早くー

ムリムリムリムリムリ〜
プルプルプル
ハイ！ここで
5秒キープ
自分を
信じて!!

それぞれの在宅勤務

4章

ウチだけ出社！？
総務部
久保さん

さみしい出社

緊急事態宣言も出て
ウチも在宅勤務になるんかなあ〜
ドキドキ…
って思ってたのに…
久保さんは出社ね 郵便物とかあるから
ガーン
まあしゃーないか 総務はオフィスでやること多いもんな
ガラすきや
ガタン
ゴトン
それにオフィスに一人で解放感…
…
しーん…
さみしっ

ミッション遂行

ウチだけが出社するせいか
郵便物転送して!
オフィスのスケジュールスキャンして!
みんな雑用頼みすぎちゃうか…
感染症が蔓延してる中…
トボトボ…
ミッション遂行のため一人外出…
ガラーン
休業
この状況…
ゾンビ映画っぽい!
OK!
オレが薬をとってくる!!
あ〜
あ〜
NO! 外はゾンビだらけだ
USA
オフィス到着
バンッ
危険なし
敵なし!!
ミッションを開始するっ
けっこう楽しんだ
シュタ

リモートの歯痒さ

タクちゃん書類提出忘れてる
あの子ぬけとるからな
常習犯
メールめんど…
カタカタ
加在さん 例の書類 うんたらかんたら～
オフィスにいてくれたら…
タクちゃーん書類明日までよ
久保しゃ～ん 今書きます～
一言で終わるのに
返信こない～
便利なばかりじゃないんやなリモートワーク…

同僚との遭遇

あー久保さん
あれま出社したのっ
どうしても ハンコが 必要で…
はー
それは ご苦労 だねえ
でも久保さんが いてくれて 安心しました♡
ほな良かった
ウチのコトは 誰も待ってて くれへんのやけどね…
今日も ずっと一人…
あの…なんか スミマセン…

みんなの心配と自分の心配

みんな慣れない在宅で大丈夫なんかなっ
画面ごしじゃ分からん…
タクちゃん…ひとり暮らしで淋しいかもっ
多田マネは小さいお子さんいるしなあ…
太郎くんは…平気やろな
なーんて人の心配してる場合かっ
フルリモートになったらウチの仕事どんどん減ってくっつーのに
…
自分の心配せな…
資格とるか…

ついついネガティブ

リモートワークに
なって
トントン
うち
総務の仕事
減ったなあ…
ウチ…
今後必要と
されるんやろか
なあポチ
観葉植物
ポチ→
そもそも皆
ガーン
おせっかい久保さんから
離れられて
ウレシー♡とか
思ってたりして…
正直
ウザかったよね
在宅じゃ
なくても
フー
1人で仕事
してると
ネガモード
入ってまうな…

会いたかった！

出社日
久保じゃ〜んっ
会いたかったよ〜
タクちゃん!!
久しぶりやなあ
この50日間
いろいろあって〜!!
おーおー
話そ話そ
前は分かって
なかったけど
会社で
久保さんと
なんてことない話
するのに
救われて
たんだなあ…って

おせっかい久保さん

うれしかった
別に仕事と思ってやってた訳じゃないけど
皆のコトを気にかけて
太郎くん元気っ？
あハイ
マネージャー調子どすか？
いーよー
居場所を作ることが
ウチの役割なのかもしれん
元気かーポチ2号
ジョー
結果的にウチの居場所にもなるしな!!
ハッハッ
久保さーん久保さーん
在宅でも「おせっかい久保さん」で行くで〜!!

激辛ラーメンにするべきか
焼きそばにするべきか…
それが問題だ
ファンファン

それぞれの在宅勤務

5章

在宅大好き
システムエンジニア
太郎くん

待ってました！

よっしゃ〜
今日から
在宅勤務だ
出社が苦痛で
ガヤ
ガヤ
は〜
ずっと在宅を推してた
在宅のメリット
でもさぁ
顔を合わせないと
アレでしょ〜
アレで
アレでしょ〜？
意味不明に却下されてたのに
それがこんなにカンタンに…
やればできるんじゃないか
日本社会め…

はかどりすぎて

フフーン
ガリガリ
チュンチュン
ルール
ルッ
ル
ルルー
急な中断も
コレ夕方までに!!
ムダな会議も
マズいコーヒーもない!!
はかどる〜
やれる…オレは
まだやれる…っ
ギンギン〜
フヒヒ…
はかどりすぎて
止め時が
分からない…
パッチリ
パッチリ

立場逆転！？

在さんから メールが来た
苦手なんだよな 明るくて元気で
太郎くーん
でもオレがこんなに イキイキしてるん だから…
在宅もサイコ〜
う〜
逆にあっちは…
立場逆転!?
適応っ
辛いっ
ふへへ
ちょっと いい気分
太郎くーん!! 助けてっ!!
何もしてないのにシステム壊れたっ!!
あ…ハイ… やります…
やっぱり力関係は 変わらない…

飲み会が減って

在宅勤務になって一番うれしいコト
送別会やで〜
また？
飲み会が減った!!
仲良くもない人間と
いや〜
休み何してるんだ？
カフェのパンケーキが並んでて〜
うす〜い会話をする苦痛!!
酒がキライな訳じゃないんだ
あちち
…ただ
旨い酒を一人で飲むのが好きなだけ

邪魔なタイプ

出社日…
はー
「生産性が上がる」ってPRしてフルリモートを勝ちとるぞ…
会社♪会社♪
在宅だと集中できなくって〜
デヘヘ
ハハハ
ああいうタイプが一番邪魔だっ
イラ イラ
太郎くんはスゴイね在宅でも仕事カンペキでっ
ねー♪
ま…悪い人じゃないんだよな
やりづらい…

雑談はいらない

私人と話さないとダメなの〜
カタカタカタ
オレは対面でのおしゃべりなんていらない
チャットで充分
カタ
カタ
わざわざ会って話す必要ないっしょ
直接話さないとダメだよ〜
余計なお世話だ
ボソボソ…
〜肉まんください
ボソ
ハイっ.
？
…肉まん
チワショー声が出ねえっ
ただし声帯が衰える…
中華まん

在宅に向かない仕事？

オレが在宅に適応できたのは…
カタカタカタ
システムエンジニア
成果物が見える仕事だからってのもあるよな
在さんみたいな
エへへ
ミスしちゃったあやまってくる〜
調整メインの仕事だとキツイのかもな
ちょっと同情…
えーっ
あそこのご出身なんですか!?
ハイ〜
今度ランチしましょ〜
ぜひ！
また友達作ってる…
いやあの人はどこでもやってけるタイプだな…
何か腹立つぜ…

フルリモート推しのワケ（1）

太郎くんてさあ何でフルリモート推しなの？
カタカタ
カタ
え!?
なんでって…
家のが集中できますし
人に会いたいタイプじゃないんで…
カタ…
どーせ
コレだから若いもんは…
とか言うんだろ…
うん分かるー

フルリモート推しのワケ（2）

あ「人に会いたくない」ってのは分かんないけど 人それぞれ働きやすい環境がちがうってのは 分かるよ
カタカタ
私は逆にフルリモートで病むタイプ～
アハハ 全然違うね
…
最初から人を決めつけてたのは
オレの方じゃん
恥ず…
あ
もしフルリモートになってもさ～! たまにはランチしよ～よ
ぐいっ ぐいっ
いや!! いいです
やっぱ苦手だ この人…

在宅勤務子ちゃん
その後

6章

再びの
在宅勤務

週3で在宅、サイコー！

50日間の在宅勤務も終わり
〇〇駅 北
ザッ
ザッ ザッ
ついに日常が戻ってきたと思いきや…
また在宅って言われた〜!!
週3で!!
…しかし
月 在宅
火 出社
水 在宅
木 出社
金 在宅
やってみるとなかなかこの生活
最高…なのでは？
アンドレとの時間も増える…
スリスリ

感染対策の効果

マスクも
すっかり日常に
人とは距離をとり
お店の席も減って
使用不可
手洗いや消毒は当たり前
手を洗おう!
SOAP
アルコー
その結果…
今年一度も風邪ひいてないっ
毎年2回はひくのにっ
感染対策ってスゲ〜〜ッ!!

カフェが密！

家だと集中できん…
ポチ
ポチ
カフェ行くか…
って…
ぎっしり
カフェが密っ
みんな家だと集中できない在宅難民なのね…
カタ
カタ
カタ
でもどうしよ…こうなったら
公園!!
ガタ
ヒュー
ガタ
ママー!
しっ
青空勤務よ!

ビデオ会議の難しさ

あっ じゃあ…
あっ いや どーぞ…
…
ビデオ会議は…
ム…ムズいんじゃ タイミングが〜っ
ポン
ポン
対面なら もっとできる子 なんです私〜!!

ムダ話

ビデオ会議だとさ身ぶりとか
表情とか
そういう情報が圧縮されちゃって
コミュニケーションしてる気になんないんだよね〜
ムダがなさすぎっていうか…
オレはその方がやりやすいっスね
仕事なんだから仕事の話だけで良くないっスか？
えーっっっ
ムダは大事だよ〜!!
ムダから新しいアイデアも生まれるし〜
それってただの正当化ですよね
…ムダ話やめてね

タク子の失態

ミーティング よろしくお願いします
一見きっちり してる風に 見えるけど…
実際…
ぐら
ぐら
上だけ キレイにしとけば いいんだもんね
それで次回は…
ぐらっ…
ギャーッ
ダメダメ!!
ズドドド
バタッ
なっ 何!?
在さん 落ちついて!!
ノーパソは しっかり 固定しよう…

施策でまんまと

GO TOイートでごはん行かない？
ポイント還元される
いいけど…
税金で食べるケーキうまーっ!!
そーゆーコト言わないのっ
あっこの店も行きたい
このお店も！
へへーン ポイント戻ってくるんだもんね～
え…今月めっちゃお金使ってるんだが
そりゃそういう施策だから…
お金使ってもらうための

漢《おとこ》の風格

経理の青沼さん離婚するらしいよ
ヒソヒソ
やっぱりー
在宅勤務でダメになっちゃうカップルも多いんですね
フー
うーん…というか
元々ダメだったのがあらわになっただけじゃない？
バッ
ズ
そこから変われるかは自分次第だよね
な…なんか大嵐をのりこえた漢《おとこ》の風格…!!
一体どんな在宅勤務を…
カタ
カタカタ

魂の叫び

キーンコーン♪カーンコーン
近所の小学校のチャイム
もうそんな時間!?
オフィスは夜でも明るかったから
こうこう
ダラ
8時〜もうちょいやるか〜
残業も気になんなかったけど
在宅だと…
小学生はもう帰る時間なのに
私はまだ仕事…
イヤダーッ
アァァァァ
何!?
怖っ早く帰ろっ

お前が一番

ってノーパソ忘れたーっ!!
家におきっぱ!!
ありゃ
ランドセル忘れた小学生みたいやねぇ
一回帰ってまた会社戻んないと…
不毛…
ゴトン
ガタン
は~また会社行くのめんどぃ…
家でも仕事できんだし…
ハッ
在宅かオフィスかうんぬんより…
お前《ノーパソ》の存在が一番大事じゃん
今頃気付いたか…

いつかあなたと

いやー
ぐつ
ぐつ
それにしても
✧2020年12月31日✧
お互い大変な一年でしたなあ
カチン
まだ終息したワケじゃないけどね
去年はなんにも考えずに年越ししてたのに
生活もすっかり変わったよ
常時マスク
リモートワーク広まる
海外行けない
忘年会中止
帰省できず

私意外と在宅も向いてなかったなー
クス
最初は余裕だったのに
ハハハ
やってみないと分かんないもんだね
ゴーン
お
カラカラ
ゴーン
やっぱ年末はコレだよ
当たり前のことが当たり前にあるよろこび…
さむ
ゴーン
ゴーン

10年後には今年のことがウソみたく感じるのかな
あー皆マスクしてたなぁ…とかっ
そーなってるといいなー
まあ先のことは分かんないよね
今年はそれを思い知ったよ
そーそー

大変だったこと
辛かったこと
消えるワケじゃない
忘れられるワケじゃない
だけど…
だからこそ
いっか

思い出になって
じっ
うう寒っ
何っ？
ううん
話せたらいいな
あなたと一緒に

おわりに

ここまで読んでいただきありがとうございます！

本当に色々あった2020年。
生活が一変し、今後の動向もわかりません。

大変なことも辛いこともたくさんあった。
でもだからこそ日々の発見や感情を大切にしていく。
そしていつか「あんなことがあったね」と語り合えたら。
そんな思いで最後の話を描きました。

今回ご縁があり、本当に多くの方に助けられて
書籍化することが出来ました。
皆様、そして読者の方々、ありがとうございます！

いつかあなたと思い出話が出来ますように。

一秒

一秒　（いちびょう）

主にSNSで活動中のマンガ家。
日常のささいな感情や気づきを描くのが好き。自粛期間中の息抜きに
「在宅勤務子ちゃん」を描いたところ、各方面から共感を呼ぶ。
時事ネタで終わると思っていたのに書籍化となったことは本人が一番驚いた。
普段は恋愛マンガや育児エッセイなどを執筆してSNSに掲載中。
ゲームとタピオカが好き。

ツイッターアカウント…@ichibyo3

STAFF
デザイン　小口翔平+阿部早紀子+大城ひかり（tobufune）
編集　福井彩加（コルク）、松本あおい（PHPエディターズ・グループ）

在宅勤務子ちゃん

わたしたちのリモートワーク日記

2021年3月30日　第1版第1刷発行

著者　一秒
発行者　岡 修平
発行所　株式会社PHPエディターズ・グループ
〒135-0061　東京都江東区豊洲5-6-52
TEL 03-6204-2931
http://www.peg.co.jp/
発売元　株式会社PHP研究所
東京本部　〒135-8137　江東区豊洲5-6-52
普及部　TEL 03-3520-9630
京都本部　〒601-8411　京都市南区西九条北ノ内町11
PHP INTERFACE　https://www.php.co.jp/
印刷・製本所　凸版印刷株式会社

　ISBN978-4-569-84919-5